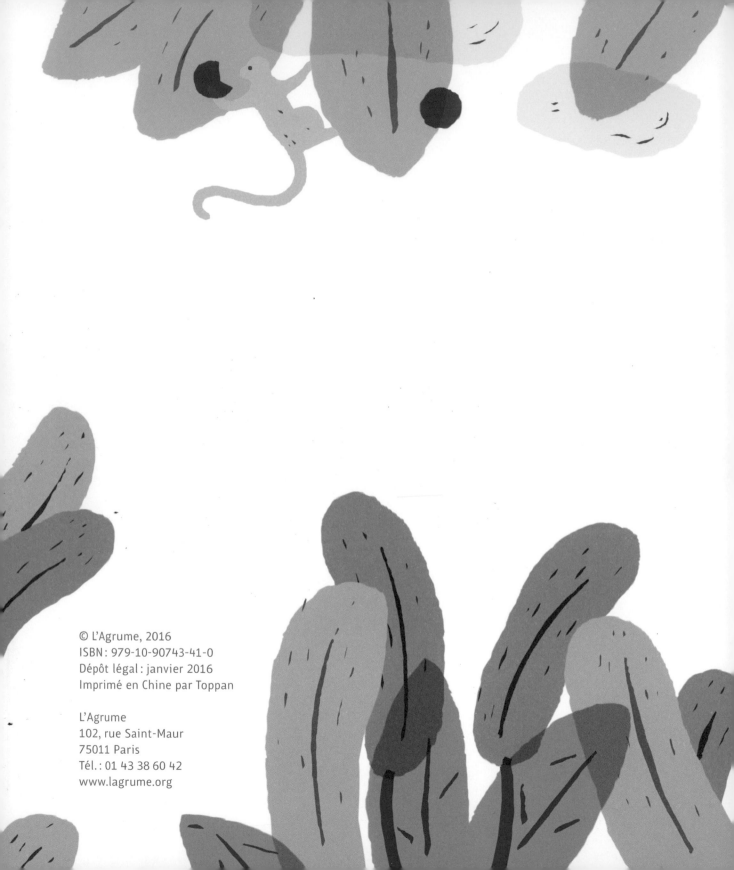

ISBN : 979-10-90743-41-0
Dépôt légal : janvier 2016
Imprimé en Chine par Toppan

L'Agrume
102, rue Saint-Maur
75011 Paris
Tél. : 01 43 38 60 42
www.lagrume.org

# les farceurs

Anne-Hélène Dubray

Mais qui s'ébroue
et fait clapoter les
flaques de boue ?

Mais qui attrape
avec gourmandise de
petites friandises ?

Mais qui s'agite et
éclabousse au creux
des rochers pleins
de mousse ?

Mais qui s'accroche
si proche de la cime
des hauts palmiers ?

Mais qui s'étire dans les
branchages pour y goûter
le tendre feuillage ?

Mais qui plie et
déplie ses longues
pattes écarlates ?

Mais qui se promène et
s'enchante à l'approche
des fleurs odorantes ?

Mais qui se glisse
silencieusement sur
les troncs lisses ?

Mais qui plonge avec
entrain dans l'eau
fraîche du matin ?

Mais qui se cache et
nous épie derrière
le feuillage fourni ?